De Brab   Falzar   Zidrou

Sac à Puces

Mamy Galettes

Couleurs : Veerle Swinnen

punaise
DUPUIS

Conception graphique : Dogstudio.be

Dépôt légal : janvier 2008 - D.2008/0089/147
ISBN 978-2-8001-3902-9
© Dupuis, 2008.
Tous droits réservés.
Imprimé en Belgique.
www.dupuis.com

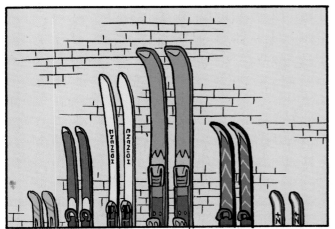

Qu'est-ce que cet autocar fabrique, bon sang ?

Il devait arriver ici à six heures précises.

CARNAVAL

Ça valait bien la peine de se lever à quatre heures du matin !

On va à la montagne ♫ ♫ On va à la montagne ♫

Arrête, Josette !

Une petite galette en attendant, les enfants ?

Mut ! Mut !

Pas maintenant, Maman. Je ne voudrais pas qu'ils soient malades dans le car !

MALADES ?!

Avec mes galettes ?!

Quelle idée aussi de partir aux sports d'hiver avec sept enfants !

Dieu sait combien vont revenir avec une jambe dans le plâtre !

Attention, personnellement, je n'ai rien contre le ski.

Je le disais encore hier à la boulangère : s'il n'y avait pas cette neige toute glissante et si les montagnes étaient plus plates, ce serait même un sport très sain pour les enfants.

Maman, s'il te plaît! Tu n'as jamais mis les pieds sur des skis! Ce n'est pas plus dangereux que de rouler à bicyclette!

Félix!

Je te rappelle, Bouboule, que si je n'ai jamais fait de ski, c'est qu'après la mort de votre père, je suis restée seule à vous élever, ta grande sœur et toi!

Je me suis saignée aux quatre veines pour vous!

Mille fois par jour, tu m'échauffes les oreilles avec ça, Maman!

On va à la montagne!

Arrête, Josette!

Mimile n'a froid!

Mut! Mut!

Ça va, mon pauvre Sac à Puces?

UN CALVAIRE!

Et tout ça pour quoi? Pour aller se geler les coussinets dans la neige!

Et si je compte bien, tes parents n'ont même pas prévu de chaussures de ski pour moi!

chut!

L'AUTOCAR!

L'autocar est là!

②

AU REVOIR, MAMY GALETTES!

Les skis dans le coffre arrière!

Mimile veut pas n'aller au port d'hiver!

Excuse-moi pour tout à l'heure, Maman, je...

Tft Ttt Ttt! Ce n'est rien, Bouboule! Dépêche-toi! Tout le monde t'attend!

Smoutch! Tu piques!

Maman, Marine a fait caca!

Ouin!

Mimile l'a trop chaud, Bouhou!

Arrête, Josette!

Téléski à Tire-fesses! Téléski à Tire-fesses! Tu me reçois, Tire-fesses?

Cinq sur cinq! Personne ne m'a vu!

Très bien! Quand le car aura démarré et que mes parents seront endormis, tu viendras discrètement te glisser sous mon siège.

Bien reçu, Téléski! Over!

Mimile s'ennuie!

En route!

VROM!

?!?!!

? | Les... pff... Les galettes pour le voyage... pff! Bouboule a oublié les galettes pour le voyage!

BONNE ROUTE, BOUBOULE! SOIS BIEN PRUDENT!

Maman! Je n'ai plus dix ans et, par pitié, arrête de m'appeler "Bouboule"!

Grrr! Je vais l'étrangler!

Calme-toi, Félix!

VROM!

"Bouboule"? C'est sympa comme surnom!

Je peux,... Bouboule?

¡¡¡¡¡¡¡H! AU SECOURS!

IL Y A UN ÉNORME RAT DANS LES TOILETTES!

Et il joue avec un téléphone portable!

Ah! Ah! Ce n'est pas un rat, madame, c'est un CHIEN!

T... Tire-fesses à Téléski! T... Tire-fesses! AU SECOURS! HELP! ¡SOCORRO!

④

Il est écrit que ce parasite viendra s'inviter jusque dans ma tombe!

Calme-toi, Félix!

Sac à Puces a le droit de venir avec nous! J'ai payé sa place!

C'est exact, Monsieur Duchêne. J'ai ici dix places à votre nom!

J'ai lavé plein de voitures pour lui payer son billet! Ça m'a pris tous mes mercredis depuis des mois!

Pour moi, il n'y a pas de problème à ce que votre chien nous accompagne, Monsieur Duch...

CE N'EST PAS MON CHIEN!!!

C'est un vulgaire clébard de trottoir dont ma fille s'est entichée!

Si Sac à Puces ne peut pas venir aux sports d'hiver, alors, moi non plus, je n'y vais pas!

Ah! Ça a le mérite d'être clair!

Maman, ne t'en mêle pas!

Voyons, Margot, ne sois pas butée! Ça fait des années que tu rêves de faire du ski!

Tu ne vas pas t'en priver pour ça?!

"Ça", c'est mon meilleur ami, et un meilleur ami, ça ne s'abandonne JAMAIS!

5

7

MARGOT, CETTE FOIS, JE TE JURE QUE TU VAS...

BRAVO, MA CHÉRIE, TU AS TOUT À FAIT RAISON!

C'est ça l'amour des bêtes! Tu as connu cela toi aussi, Bouboule. Quand tu étais petit, tu faisais toujours entrer en cachette dans ta chambre un petit hérisson bourré de puces...

MAMAN!

Ne nie pas, Bouboule, je le sais!

Tu as bien réfléchi, ma chérie? Tu restes avec Mamy Galettes?

ET SAC À PUCES!

Tu ne l'emporteras pas au paradis, Maman!

Tranquillise-toi, Bouboule. Margot sera très bien chez sa Mamy!

Au revoir, ma chérie! Prends bien soin de toi!

AGO!

A' dimanche!

M'en fiche! La neige, c'est froid, c'est mouillé, ça glisse et ça fait tomber!

Allez, viens, ma petite Margot. Je vais te préparer un petit déjeuner dont j'ai le secret!

Voyons, Félix! Détends-toi! On ne pouvait quand même pas l'embarquer de force!

Mimile veut une galette!

Mut! Mut!

Arrête, Josette!

6

Pas de céréales? Comment ça, pas de céréales?

Chez moi, au petit déjeuner, il y a toujours des céréales!

Ici, il y a du pain frais, du beurre, de la confiture de fraises...

...et un bon chocolat chaud!

Slurp!

C'est nul, les baguettes!

Il n'y a même pas de gadget dedans!

ORANGE

Et qu'est-ce que tu en ferais de ton gadget? Tu l'oublierais au bout de cinq minutes et il valserait au fond d'un tiroir!

Les jeunes d'aujourd'hui! Il suffit de mettre un gadget dans un vieux camembert tout pourri pour qu'ils trouvent cela délicieux!

Hein? Quoi?! Il y a aussi du vieux camembert tout pourri?

J'adore ça, moi, le vieux camembert tout pourri!

⑦

♪ Et la vie passe passe passe ♪

TCHIE TCHIE !

HUILE

Pfff ! On a fini, Mamy !

Pff !

Juste à temps pour éplucher les pommes de terre !

Pour éplu...?!

Vous m'avez demandé des frites avec votre steak ?

Comment voulez-vous faire des frites sans éplucher des pommes de terre ?

Elle (humpf !) n'a jamais entendu parler de frites surgelées, ta (humpf !) grand-mère ?

Tu parles ! Elle ne sait même pas que la mayonnaise, ça se vend en pots !

crunch crunch

PVOUF !

Voici les pommes à éplucher.

Je file acheter des œufs pour vous préparer des galettes comme dessert.

L... Les pommes ?!

Vous m'avez dit que vous préfériez de la compote avec votre steak-frites, non ?

Grmbl ! Quand je pense que je pourrais être aux sports d'hiver !

Essaie de voir le bon côté des choses. On va être bien ici en amoureux !

Tu parles... Ça va être super : on va compter les tic-tac de l'horloge en faisant des puzzles !

TIC TAC !

On va s'ennuyer à MOURIR, oui!

Vive les vacances de carnaval!

Tic! TAC! Tic! TAC! Tic! Tic!

Eh bien, si tu ne vas pas aux sports d'hiver, les sports d'hiver iront à toi!

?

Gn!

KRRRR

TCHIC! TCHIC!

Paré pour attaquer la piste noire!

Attention au top-départ!

TROIS!

DEUX!

UN!

CLIC!

ZÉRO!

10

Je... Excuse-moi, Mamy. Je ne suis jamais allée aux sports d'hiver et...

Ce n'est pas une raison pour provoquer des avalanches dans ma maison, tout de même !

CRAC !

Vous allez me réparer vos dégâts ! Et plus vite que ça !

Ensuite, vous terminerez d'éplucher les pommes pour la compote !

T'inquiète ! Cet après-midi, il n'y paraîtra plus et on pourra regarder la télé !

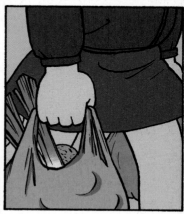

LIBRAIRIE

BOURRU

Crunch, merci pour les galettes !

Au revoir, Monsieur Bourru !

BILIN

Et maintenant, un petit saut à la pharmacie et puis...

ENCORE DES COURSES !?!

Je croyais... je ne sais pas, moi... que tu allais m'emmener au ciné, puis prendre un petit goûter...

Voyez-vous ça ! Parce que Mademoiselle a joué les Juliette au grand cœur pour son Roméo des caniveaux, je devrais modifier tout mon programme ?

J'ai aussi ma vie, figure-toi !

Qu'est-ce que tu croyais ? Que je passais mes journées à faire des puzzles en écoutant les tic-tac de l'horloge du salon ?

⑰

14

Pfiou... J'ai le dos en compote !

Ne me parle plus de compote !

DING DONG

Va ouvrir, Margot ! Je suis occupée dans la cuisine !

DING DONG

Voilà, voilà !

C'est nous, Valentine !

Bonjour, ma petite !

Paulette, Roger, les amis ! Entrez donc !

On va bientôt pouvoir commencer !

Oh ! Qu'est-ce qu'il a, le toutou ?

Il n'a pas l'air en forme !

Il a quel âge ?

Il a six ans et demi, mais...

Je lui donnerais beaucoup plus !

Et il faut multiplier par sept pour obtenir l'âge humain. Ça lui fait...

Dans les quarante-cinq balais !

C'est l'âge de Bouboule, ça !

Non, non ! Pour obtenir l'âge humain, il faut multiplier l'âge du chien par neuf !

Alors, ça lui fait... cinquante-huit ans et six mois...

Autant dire soixante !

Vous êtes sûrs que ce n'est pas par treize qu'il faut multiplier ?

Hi ! Hi ! Bienvenue dans le troisième âge, le chien !

Vous prendrez bien quelques galettes, les amis ?

BLA BLA

Hi ! Hi ! Hi !

Je suis un vieux schnock !

⑬

Alors ?
Tu trouves
quelque
chose ?

RIEN.

Aucun poil blanc.
Tu es rassuré ?

Par contre, tes puces,
elles pullulent !

Il s'agit bien
de P...

MAIS ?!

J'ai compris pourquoi tu n'as pas
trouvé de poils blancs ! Je les perds,
mes poils ! Je n'aurai bientôt
plus un poil sur le caillou !

Et mes rides ?
Tu as vu mes
rides ?

Mes oreilles commencent
à se friper !

Et ma
peau !

Elle est
toute
flasque
!!!

Et ta truffe ?

Tu n'as
rien à dire
sur ta
truffe ?

Ma...
Ma truffe ??!

Tu as raison !
Elle est toute
molle !

14

16

Il faut absolument qu'on mange un bout. Il paraît qu'une alimentation équilibrée ralentit le vieillissem...

Chut!

ESPRIT, ESPRIT! ES-TU LÀ?

Ben... A'quoi ils jouent?

Ils font du spiritisme!

DU SPIRI... QUOI?!

Chut! Ils appellent les fantômes!

Elle devient complètement givrée, ta mamy! Les galettes, ça doit taper sur le cerveau!

TOC! TOC!

J'espère qu'ils ne vont pas arriver en retard pour le repas, tes fantômes. J'ai faim, moi!

GROUÏK!

ESPRIT, ES-TU LÀ?

ESPRIT, SI TU NOUS ENTENDS, MANIFESTE-TOI!

GORGARGLOÏK!

15

17

Je t'avais prévenue! A'mon âge, on ne saute plus les repas!

GRÔIK!

Où on va? La cuisine c'est en bas!

Chut!

Il n'y en a que pour ton père ici. J'ai l'impression d'être dans un musée!

Normal. C'était sa chambre.

FÉLIX

FÉLIX DUCHÊNE

Ces débuts sont encourageants... Continuons. Esprit de Louis Duchêne, peux-tu nous envoyer un nouveau message?

Ça alors! Ils invoquent l'esprit de Papy Louis!

Papy qui?

Mon grand-père Papy Louis!

C'était le mari de Mamy Galettes.

Ah? Elle était mariée, Mamy Galettes?

ESPRIT, ESPRIT! Si tu nous entends, manifeste-toi!

CRR...

CRAC!

⑯

Bouboule, je... je ne peux pas te passer Margot ; elle s'est enfuie...

Euh ! Je veux dire...

Elle est enfouie dans ses draps. Voilà. Elle est ENDORMIE, quoi ! Mais ne t'inquiète pas. Tout va bien !

MARGOT A DISPARU !

QUOI ?!

Alors, ça y est ? Tu sautes ?

Je... J'ai passé l'âge de ce genre de galipettes, Margot ! Je risque de me casser une patte !

Je ne veux pas être une charge pour toi. Laisse-moi ! Vis ta vie ! Je passerai le reste de la mienne à faire des puzzles avec ta Mamy. Après tout, nous avons le même âge, elle et moi.

Bon. Tu sautes ou je te pousse ?

Euh ! Glubs ! Voilà, voilà ! J'y vais !

Ne t'inquiète pas, Valentine. Ils n'ont pas pu aller bien loin !

Il vaut mieux que tu restes ici, Odile, euh... pour surveiller la maison.

Ben... Pourquoi moi ??!

18

20

Ah! Ici on va enfin pouvoir profiter de nos vacances!

Home sweet home!

Mais d'abord MAN-GER! Mon vieux corps doit reprendre des forces!

Oooh! Nooon! La cata!

Maman a vidé le frigo avant de partir!

Les pauvres petits! Dieu sait où ils sont!

Mais on les retrouvera! Dussions-nous y passer la nuit!

Euh... On ne... pff! ... ferait pas une... petite pause?

Apff! Apff!

Oh oui! Pff! Bonne idée!

C'est tout ce que j'ai trouvé : du riz et des croquettes pour le chat.

Hé! Hé! Moi, j'ai mieux!

La cachette de bonbons de Lucien!

Miam!

Excusez-moi, mes amis! Tout ça, c'est de ma faute. Je... je suis une grand-mère indigne, snif!

On ne la retrouvera jamais!

Le mieux, ce serait de prévenir la police!

Archi-nuls, ces programmes à la télé!

CROC! CROC!

ZAP! ZAP!

Ça alors! Un DVD des Zombies que mes parents ont confisqué à Julot. Un épisode tellement abominable qu'il a été interdit dans les trois quarts de la planète!

Plus horrible que ça, tu meurs!

Pas un truc pour nous, quoi!

Tu as raison. Moi, je suis trop petite, et toi, ton vieux cœur n'y survivrait pas!

20

23

Excuse-moi, Mamy. Je n'aurais pas dû partir comme ça !

Et moi, je suis une vieille noix qui ne comprend plus rien aux enfants !

En tout cas, vous pouvez vous vanter de m'avoir fichu une sacrée frousse !

Tu es bien la fille de ton père !

Lui et Florence, ils m'en ont fait voir, tu sais !

Oh ! Raconte, Mamy !

Un autre jour ! Il est tard maintenant. Il est temps de dormir.

C'est qui la jeune fille qui pose là entre ton père et ta marraine ?

C'est Mamy ! Tu ne la reconnais pas ?

Hein ?!... Quoi ?! Ben non. Elle... elle a fort changé !

Elle a vieilli, c'est tout. Tout le monde vieillit.

Même toi, tu vieillis !

Allez, dors bien, mon pauvre VIEUX Sac à Puces !

20 ans   50 ans   120 ans

♪ ET LA VIE ♪ PASSE ♪ PASSE

Du chocolat chaud et du pain frais de ce matin.

Mais?

Qu'est-ce que...?

Ça alors! Ils mettent des gadgets dans leurs baguettes à présent?! Je vais aller dire deux mots à la boulangère!

Merci, Mamy! Tu es super!

DRiiiing!

Hi! Hi! Lâche-moi! Je dois décrocher!

Une tempête de neige? Quelle chance, Bouboule! Vous aurez de la belle neige pour skier!

C'est Papa!

Skier? Euh!... Oui... Si ça s'arrête de tomber. On est bloqués à l'hôtel.

Mimile s'ennuie!

Heureusement, la météo annonce une nette amélioration pour demain!

Josette! Rentre immédiatement!

Je te passe quelqu'un qui trépigne d'impatience de te parler!

B... Bonjour, Papa!

Comment va ma grande fille rebelle?

Ça va bien.

Et... Et toi?

23

Et puis d'abord, pourquoi j'aurais dû te laisser du chocolat chaud ?

Schlûrp!

Tu étais en train de roucouler au téléphone avec ton abominable père des neiges!

Qui va à la neige, perd son p'tit déj.!

BÛRP! Pardon!

Eh bien, c'est comme ça que vous débarrassez la table ? Allez! Dépêchez-vous!

Ensuite, il faut nettoyer.

ENCORE ?!

Mais on a déjà nettoyé hier!

Vous avez aussi sali depuis hier!

Ben voyons! Et combien de tonnes de pommes de terre on doit éplucher aujourd'hui ?!

J'avais pensé vous emmener au cinéma, puis manger des crêpes en ville...

Mais si tu insistes... On peut aussi rester ici à éplucher les pommes de terre.

"Framboise et Fraise des Bois dans la Forêt Magique" ?

Vous ne préférez pas voir le dernier zombie ?

WALT BIZNESS

NOUVEAU!

LES ZOMBIES NOCES A LA MORGUE

LE THÉ AU CARAMEL CONSTANTIN MEUNIER

UN MUST!

CINÉ PHIL

Surtout pas!

?

Demande s'ils font des réductions pour personnes âgées ?!

24

MA-MY! MA-MY!

Un instant! Je réponds au mail que Florence m'a envoyé!

Ma marraine?!

Ça fait longtemps que je ne l'ai pas vue!

Moi non plus! (soupir!)

Avec son travail, elle est toujours partie aux quatre coins du monde. Elle n'a plus le temps de venir voir sa vieille maman.

On la reverra à mon enterrement. Pas avant!

Enfin! C'est comme ça! Tu veux lui ajouter un petit mot?

Je vais lui raconter ce qu'on a fait aujourd'hui.

Dis, Margot...

?

Qu'est-ce qu'on devient quand on est mort?

Qu'est-ce que j'en sais, moi?

Mais si je deviens un ange et que je monte au ciel, promis, juré, je te ferai entrer en cachette sur mon nuage!

Tu... tu crois qu'il existe un paradis pour chiens?

Aucune idée! Par contre, un paradis pour les puces, c'est sûr que ça existe!

Vrai?

Le paradis pour les puces, c'est toi!

Très drôle!

CLIC!

25

Tu ne nous as jamais raconté ça, Mamy!

Ooh!... C'est une histoire qui ne se termine pas bien.

Ah?

Nous avions vingt ans. Ton grand-père et moi étions très amoureux...

Mes parents ne voyaient pas ça d'un très bon œil, car Louis n'avait pas de métier stable. À l'époque, ça faisait désordre.

Nous nous sommes mariés malgré tout, un beau jour de juin. Ce fut une très belle fête.

♪♪ Mon cœur n'est plus z'à prendreuuuuh ♪~♪♪

La passion de Louis, c'était la pâtisserie. Il rêvait d'ouvrir un salon de dégustation.

En attendant, il créait toutes sortes de desserts succulents que j'étais la première à goûter. C'était toujours délicieux!

Assortiment de gâteaux aux amandes.

Mh!

Mais il fallait ramener de l'argent à la maison : Bouboule venait de naître et Florence avait cinq ans. Alors, à côté de ses créations culinaires, Louis acceptait des petits boulots...

27

Ça ne suffisait pas. Nous avions à peine de quoi nourrir nos deux enfants. Nous avions des dettes.

Puis un jour, Louis est revenu à la maison, triomphant !

Chérie ! Nos soucis, c'est fini !

Viens voir !

Regarde ! Il n'est pas magnifique ?!

Avec ça, je vais enfin gagner ma vie convenablement, peut-être même faire fortune !

Qu'est-ce que c'est que ça ?

Un triporteur à galettes !

Ici à l'avant, le moteur actionne un fer à galettes

Et là, j'ai fait placer un coffre étanche pour conserver la pâte.

Je pourrai vendre mes galettes toutes chaudes partout dans la ville...

... car j'ai mis au point une recette de galettes vanillées au beurre et sucre de canne au goût INCOMPARABLE !

LOU... LOUIS ! Tu n'as pas acheté ça ?! Ça a dû coûter une fortune !?

J'ai dû faire un petit emprunt, mais... ce sera vite amorti ! PARTOUT on s'arrachera mes galettes !

Et tu sais quel nom je leur ai donné à mes galettes ?

Je n'écoutais plus. J'étais furieuse !

Et arrête de te goinfrer, toi !

POC!

28

Nous avons eu une terrible dispute.

Tu... tu as emprunté de l'argent ?! Alors qu'on n'a déjà plus un sou et qu'on vit aux crochets de nos parents ?

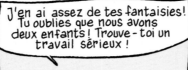

J'en ai assez de tes fantaisies ! Tu oublies que nous avons deux enfants ! Trouve-toi un travail sérieux !

SLAM !

Snif !

Si j'avais su...

Quelques heures plus tard, on est venu m'apprendre qu'il avait eu un accident

Une voiture l'avait renversé sous la pluie. Tout ça s'est passé de manière si brutale. La dernière chose qu'on ait eue, c'était une dispute.

GALETTES Valentine

Louis voulait donner mon nom à ses galettes... Comme il y a des crêpes Suzette, il y aurait eu les galettes Valentine.

Le jour de son enterrement, j'ai préparé sa recette. Quel plus bel hommage pouvais-je lui rendre ?

Depuis ce jour-là, quand je suis triste, je fais des galettes. Quand je suis en colère, je fais des galettes...

ZWIP

Et quand tu es heureuse, Mamy ?

JE FAIS DES GALETTES !

29

31

... chutes de neige qui iront en diminuant au fil de la journée ...

Demain, le temps sera ensoleillé, conditions favorables qui devraient se maintenir jusqu'en fin de semaine...

YÉÉÉH! ENFIN!

Arrête, Josette!

MUT MUT

MAMYyy ♪♫

SURPRiiiiiiise!

Tiens? Ils mettent des gadgets dans leurs croissants à présent?

Hi! Hi! Hi!

QUOI?! Déjà dix heures?! Mais j'ai dormi comme une vieille souche, moi!

Il est temps que je me prépare! C'est jour de Carnaval aujourd'hui!

J'ai rendez-vous avec le Club des Dinos!

Le Club des di... QUOI?!

Cronch!

GROÂÂÂR!

Le Club des Dinos! Ah! Ah! Ah! Eh bien quoi? On dirait que vous n'avez jamais vu de Mamy Galettosaure de votre vie?!

GRAOU!

30

Enfile ce costume, Margot. Il appartenait à ta marraine quand elle était petite.

WAF! WAF!

J'ai aussi déniché quelque chose pour ton chien.

Dépêchez-vous! Je les entends arriver!

Mais puisque je te dis que tu es vraiment craquant comme ça!

GRAOUU!

Paulette! Roger! Mes amis!

Décidément, rien ne me sera épargné pour mes vieux jours!

GROÂÂÂar

FLAP!

FLAP!

FLAP!

CLUB DES DINOS

En voiture, belles créatures!

Bienvenue au Club des Dinos, ma petite!

TARARA BOUM!

BOUM BOUM

Eh! Attendez-moi!

MARGOT!

TARAPOUËT!

③1

33

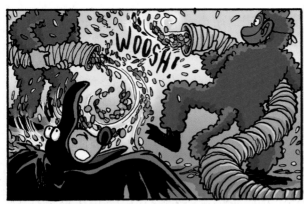

MARGÔÔÔT!

AAAAAAAH!

Oh! Un ptérodactyle!

RHAAAH!

Je le reconnais!

C'est mon ptérodactyle préféré! ♥

Hi! Hi! Mamy Galettes, tu as des confettis plein les cheveux!

Ah! Ah! Ah! Et toi! Tu devrais te voir : un vrai feu d'artifice ambulant!

Oh! Regardez!

Ça vous dirait d'aller skier demain?

Mais Mamy, je croyais que tu n'avais jamais mis les pieds sur des skis!

SKi.iN
LA PLUS GRANDE PISTE ARTIFICIELLE D'EUROPE

NOUVEAU!

RÉDUCTIONS DURANT TOUTE LA SEMAINE DE CONGÉ DE CARNAVAL

Il n'est jamais trop tard pour apprendre.

Je n'ai que 73 ans après tout!

33

Euh... Mamy! Attends! C'est peut-être dangereux, tu sais!

Taratata! Je ne veux pas être ridicule demain sur les pistes!

A' la une!

A' la deux!

A' la tr...

Glubs!

Euh... Tout compte fait, tu as raison, ma petite Margot. Ce n'est pas très prudent. Je...

DING! DONG!

D'ailleurs, on a sonné. Je vais ouvrir...

Mais! Que...? Aïe!

TAC A TAC A TAC A TAC TAC A TAC TAC A TAC TAC

NOOOOOON!

AAAAAAAAA

BOÏNG!

TCHOK! TCHOK!

Alors? Qu'est-ce que j'ai fait comme temps?

5"18! Record battu!

DING DONG

YES!

DING DONG

Trois pizzas aux anchois, c'est bien ici?

STROMBOLI STROMBOLI STROMBOLI

34

Moi, soussigné Sac à Puces, déclare léguer ma réserve de pots de choco à ma petite Margot adorée.

Mais qu'est-ce que tu fais ?

Je rédige mon testament.

Son testament !? On aura tout vu !

Ben quoi ?

Je suis arrivé à un âge où il faut penser à ... à tout ça.

Aussi, comme je n'ai pas d'héritier, il vaut mieux que je règle tout avant ma ... avant mon ... Eh bien avant, quoi !

Je ne veux pas entendre parler d'incinération... à cause de mes puces, tu comprends ?

Pff !

J'exige d'être enterré au pied de mon réverbère préféré à l'angle de la rue Pissou

Jure-moi que le chien que tu adopteras – ne dis rien ! Je sais que tu m'auras vite remplacé ! – prendra soin de mes petites puces chéries !

Bouhou !

Snif !

PON !

Snif !

A mon enterrement, je ne veux ni fleurs, ni couro...

DORS, LE MORT ! IL FAUT ÊTRE EN FORME DEMAIN : ON VA SKIER !

Comme un chien ! Elle me laisserait crever comme un chien !

35

YEEEH! C'est le matin! On va skier!

N'oublie pas ton cache-nez, Sac à Puces! A'ton âge, il faut bien se couvrir!

Tu crois que c'est froid, de la neige artificielle?

MAMY! ON EST PRÊTS!

Debout, Mamy Galettes! Aujourd'hui, pour la première fois de ta vie, tu vas skier pour de vrai!

MAMY?

MAMY!

6-10-06 21:50 ③⑥

Mamy ?! R...Réveille-toi !

Un médecin ! Vite ! Une ambulance !

Vite !

Une attaque foudroyante.

Elle n'a pas souffert.

Regardez ! Voilà Papa sur le tire-fesses !

Enfin !

Mimile veut aussi aller sur le mille-fesses !

?

TRILI TRILILI

MUT

C'est toi, Margot ?

Que ...?

Qu'est-ce que tu dis ?!

PAPA !

37

Son tricot!

A' chaque naissance, Mamy Galettes s'obstinait à vous tricoter une layette.

Mais c'est la même depuis le début.

Pffrt! Hi Hi Hi!

Sept fois, on a cru qu'elle parviendrait à l'achever!

Snif!

Mon petit papa, si tu pleures, je pleure!

Alors, j'arrête!

PON!

38

40

DING! DONG!♪

Ça doit être Florence!

Marraine!

Margot! Qu'est-ce que tu as grandi!

C'est la sœur de Papa.

Bonjour, mon petit Félix!

Salut, ma grande!

Bonjour, tout le monde... Euh! Vous me reconnaissez?

Ça fait tellement d'années que je ne suis plus venue ici!

Oh... Moi je voyais Maman pratiquement tous les jours, mais la plupart du temps, c'était pour me disputer avec elle!

Tu te rappelles quand tu avais ramené cet horrible hérisson à la maison?

"Horrible„?! Dis donc, c'était mon meilleur ami!

Ah! Ah! Il était bourré de puces, ton meilleur ami!

39

Quand on l'ennuyait, son hérisson se roulait en boule.

Du coup, quand Mamy me grondait, hop! je faisais comme lui.

D'où mon surnom: BOUBOULE! ♪♪

Cette sale bête passait son temps à mordiller les fils électriques.

Même, un jour, ceux du fer à galettes!

Résultat: on n'a plus eu de galettes pendant deux semaines!

Ah! Ah!

Pourquoi tu ris, Papa? Tu n'es déjà plus triste?

Arrête, Josette!

Oh si, ma puce! J'aimerais tellement que Mamy Galettes soit encore là!

Et puis, vous savez ce qui me fait le plus drôle, les enfants?

C'est que plus jamais personne ne m'appellera "Bouboule".

Bouhou!

Bouh snif!

BOUHOU!

snif!

?!!

Sac à Puces! Pleure plus doucement ou tu vas te faire repérer!

Tu sais, Margot, moi je veux bien continuer à l'appeler "Bouboule", si ça peut lui faire plaisir, à ton paternel...

40

42

Regardez!

Elle est à côté de Papy Louis!

Eh! Ouais!

Tu crois qu'elle pourra le rejoindre dans sa tombe?

Bien sûr!

Sincères condoléances, Monsieur Duchêne!

Condoléances.

Sincères condoléances.

Arrête, Josette!

C'est gentil d'être venu, Sac à Puces!

Valentine, c'était la plus vigoureuse du Club des Dinos...

Toujours prête à mettre la main à la pâte... à galettes bien sûr!

S'il y a un Paradis, on peut être sûr d'une chose : ils ne manqueront pas de galettes là-haut!

Et ici non plus! ♫

?

Bravo, ma grande fille! Tu es bien la digne petite-fille de Mamy Galettes!

On t'appellera "Margot Galettes", tu es d'accord?

AGAYETTE!

Arrête, Josette!

Il m'a suffi de suivre la recette de Papy Louis.

Et puis, j'ai reçu un solide coup de main!

Crunch glop!

Laisse-le faire, Félix! Il a l'air plutôt doué, tu ne trouves pas?

Snif! Mamy Galettes serait fière de lui, hein, Papa?

42

LA COLLECTION PUNAISE
à lire seul à partir de 6 ans

LES ENFANTS D'AILLEURS
1. Le passage
2. Les Ombres

GUSGUS
1. Les rois du monde
2. Papa cool

MADEMOISELLE LOUISE
1. Un papa cadeau
2. Cher petit trésor (à paraître)
3. Une gamine en or

OSCAR
1. Boule de gnome !
2. Pagaille dans les nuages (à paraître)
3. Les gadjos du cirque (à paraître)
4. Le roi des bobards (à paraître)
5. Chinoiseries (à paraître)
6. Deux pour le prix d'un

LE MONDE SELON FRANÇOIS
1. Le secret des écrivains

AGATHE SAUGRENU
1. Je suis un monstre !

PRINCE GÉDEON
1. Trois chewing-gums pour sauver Milena

BRIGADE FANTÔME
1. Ribambelle pour une poubelle

SAC À PUCES
1. Super Maman
2. Chauds les marrons ! (à paraître)
3. Gare à ta truffe ! (à paraître)
4. Docteur Pupuces (à paraître)
5. Le lundi au soleil (à paraître)
6. Ça déménage ! (à paraître)
7. De l'orage dans l'air (à paraître)
8. Mamy Galettes

Tournez vite la page...

... pour rencontrer tous nos amis !

LA COLLECTION PUCERON
à lire seul à partir de 3 ans

PETIT POILU

1 La Sirène Gourmande
2 La Maison Brouillard

HUGO

1 Le croque-mouton
2 La Sorcière Grenadine

MÉCHANT BENJAMIN

1 Ah non !

LE PETIT MONDE DE PÈRE NOËL

1 Elle veut changer Noël

ET bientôt...

... plein d'auTres nouveaux amis !